尊重生命　亲近自然

给热爱科学探索的你

这是_____的书

法布尔昆虫记（6）

蔬菜大食客——菜粉蝶

北京科学技术出版社

『큰배추흰나비의 한살이』by Chun-ok kim (author) & Se-jin Kim (illustrator)

Copyright© 2002 Bluebird Child Co

Translation rights arranged by Bluebird Child Co.through Shinwon Agency Co.in Korea

Simplified Chinese edition copyright ©2005 by Beijing Science and Technology Press

著作权合同登记号
图字：01-2005-3603

图书在版编目（CIP）数据

蔬菜大食客/（韩）金春玉编著；（韩）金世镇绘；李明淑译.
—北京：北京科学技术出版社，2009.10 重印
（法布尔昆虫记系列丛书）
ISBN 978-7-5304-3169-6

Ⅰ. 蔬… Ⅱ. ①金…②金…③李… Ⅲ. 昆虫-少年读物 Ⅳ. Q96-49

中国版本图书馆 CIP 数据核字（2005）第 053765 号

蔬菜大食客——法布尔昆虫记（6）
_____

作　　者：金春玉
责任编辑：白　林
责任校对：黄立辉
封面设计：鹿鼎原
图文制作：邱晓萍
出 版 人：张敬德
出版发行：北京科学技术出版社
社　　址：北京西直门南大街16号
邮政编码：100035
电话传真：0086-10-66161951（总编室）
　　　　　0086-10-66113227（发行部）　　0086-10-66161952（发行部传真）
电子邮箱：bjkjpress@163.com
网　　址：www.bkjpress.com
经　　销：新华书店
印　　刷：保定华升印刷有限公司
开　　本：787mm×1092mm　1/16
字　　数：22 千
印　　张：7.5
版　　次：2006 年 1 月第 1 版
印　　次：2009 年 10 月第 7 次印刷
ISBN 978-7-5304-3169-6/G·401
_____

定　价：19.80 元

序

中国科学院院士 张广学

法布尔先生是一位热爱自然的伟大科学家，也是一位优秀的文学家。19世纪末，杰出的法布尔先生捧出了一部《昆虫记》，世界响起了一片赞叹之声，并且这片赞叹声响彻了100多年，直到今天！

法布尔先生写的《昆虫记》非常朴素和优美，他把一部严肃的学术著作写成了优美的散文，让人们不仅能从中获得知识和思想，更能获得一种美的享受，并由衷地产生对大自然深深的热爱！

作为一位科学家，一位用心去观察、用爱去体会的科学家，法布尔先生的科学研究是充满诗意的，他从不把昆虫开膛破肚，而是充满爱心地在田野里观察它们，跟它们亲密无间。他用诗人的语言，描绘这些鲜活的生命，昆虫在他的笔下是生动、美丽、聪明、勇敢的，他说他在"探究生命"，要"使人们喜欢它们"。他的心思如同一个孩童般纯真，而他的文笔也像孩童般充满想像力和感染力。他要让厌恶这些小东西的人们知道，微不足道的小小虫儿有着许多神奇的本领，它们勇于接受大自然的考验，要在这个世界上争得生存的空间。

北京科学技术出版社出版的这套改编的儿童版《法布尔昆虫记》，让小朋友们换了一个方式来阅读这部科学经典。这套书用简洁的语言、可爱的彩图、活泼的故事情节描绘了法布尔原著中具有代表性的昆虫，讲述它们的生活，展现它们的个性，处处流露出对它们的喜爱。我向小朋友们推荐这套图画本的《法布尔昆虫记》，正是因为它的语言非常简洁优美，每种昆虫形象栩栩如生，十分可爱，小朋友们甚至可以透过文字看到它们的喜怒哀乐，故事情节兼具科学性和趣味性，能够激发小朋友们的阅读兴趣和对大自然的神秘好奇心，培养他们尊重生命、亲近自然、热爱科学探索的精神！

最后，希望北京科技出版社能够出版更多更好的儿童科普书，同时也祝愿我国的儿童科普事业蓬勃发展！

张广学

2005.8.26.

菜粉蝶的天敌

　　在各种蝴蝶中，法布尔先生特别选择了"菜粉蝶"作为研究对象。

　　菜粉蝶以惊人的速度吃掉卷心菜，还会以惊人的速度迅速成长。虽然菜粉蝶一次可产下多达200粒左右的卵，但其中只有20多粒卵能够孵化成成虫。而且，即使能够顺利成长为蝴蝶，还要随时面临被鸟类、蜘蛛或螳螂等天敌吃掉的危险，所以，最终只有三四只能成功完成传宗接代的重任。

　　菜粉蝶的天敌是赤眼卵寄生蜂、小茧蜂和黄金小蜂等昆虫，他们会吃掉菜粉蝶的幼虫。如果没有这些蜂会怎么样呢？菜粉蝶的数量会异常地增加，如此一来，卷心菜的数量就会越来越少，最后菜粉蝶也会因为没有足够的食物，而面临饿死的危机。神奇的自然界维持着生态平衡，菜粉蝶通过提高产卵数量的方式，来增加下一代存活的几率，从而维持种群数量的稳定。

　　还有许多关于菜粉蝶的奇特故事，现在就让我们和法布尔先生一起去了解菜粉蝶的一生吧！

目录

蔬菜大食客——菜粉蝶

在所有蝴蝶中，
法布尔先生选择了菜粉蝶作为研究对象，
因为菜粉蝶是欧洲和喜马拉雅山区最常见的蝴蝶之一。
菜粉蝶的幼虫非常喜欢吃卷心菜，
那么，在人类种植卷心菜之前，
它们吃什么呢？
要知道早在人类文明出现之前
蝴蝶就已经生存在地球上了。

我爱卷心菜

有一只菜粉蝶慢慢地从地上飞起，
那双闪耀着淡黄色光芒的白色翅膀
在阳光下更加亮丽。
菜粉蝶的翅膀只有上缘和中间
有一块黑色的斑纹。

又嫩又好吃的卷心菜，
我的小宝宝们最喜欢。

又大又香甜的卷心菜，
让我的小宝宝们快快长大。

又绿又有营养的卷心菜，
让我的小宝宝们健康成长。

四月的山野绿油油的，

菜粉蝶一边唱歌，一边四处飞行。

一会儿，她飞过了柳丁树、橘子树和青花椒树，

"这些树是柑橘凤蝶和南方凤蝶的幼虫们喜欢吃的食物。"

菜粉蝶径直飞过了那些树。

接着，她又飞过了生菜地，

"不能给我的小宝宝们吃没有营养的生菜，

蚕豆叶或者豌豆叶也不行。"

因为她的幼虫只吃十字花科植物，

所以，菜粉蝶毫不迟疑地离开了那里。

"小宝宝们，妈妈给你们讲个故事，

在很久很久以前，

我们的祖先以沿海地区的野生卷心菜为食物，

但是，野生卷心菜的茎很长，

而且叶子又硬又窄，味道也又苦又涩。

我们蝴蝶的祖先们没有足够的食物，

所以，也经常吃一些同类的

其他十字花科植物，

这些植物因为四片花瓣排列呈十字状而得名。"

"人类有时也会把它们称为'油菜科植物'。

由于人类也很喜欢吃油菜科植物,

所以,他们不断改良野生卷心菜,

把又硬又难吃的野生卷心菜

变成了叶子又大又厚、

而且味道鲜美细嫩的卷心菜,

可见人类的种植技术有多么厉害。

另外,花椰菜和荠菜等也都是十字花科植物。

好了,你们要记住挑这些植物吃啊!"

菜粉蝶用温柔的声音，
给还在自己肚子里的小宝宝们讲故事听。
然后，她便开始东张西望地寻找最美味的卷心菜。
"嗯，我闻到一股浓郁的香味，
这里一定有卷心菜，我得赶紧过去看看！"
高兴的菜粉蝶一口气飞了过去，
果然，那里有一大片卷心菜地，
又大又嫩的卷心菜看起来非常可口。
"哇！终于找到了！"
菜粉蝶不停地在卷心菜地里飞来飞去，
并且不时地用触角轻轻拍打着叶子。
她先用眼睛仔细察看，
然后再用触角触摸一下，
就可以知道眼前的卷心菜适不适合幼虫们吃。
"好了，这里就是你们的乐园！"
菜粉蝶从空中飞落下来。

这里真是菜粉蝶的最佳产卵地方。

"这棵不错！"

菜粉蝶挑选了一棵又大又肥的卷心菜，

并仔细检查是否被其他昆虫的幼虫啃过。

等确认那是棵很干净的卷心菜之后，

她便开始在叶子的背面产卵。

只见她轻轻地左右扭动着尾巴，

小心翼翼地产下了许多浅黄色的卵。

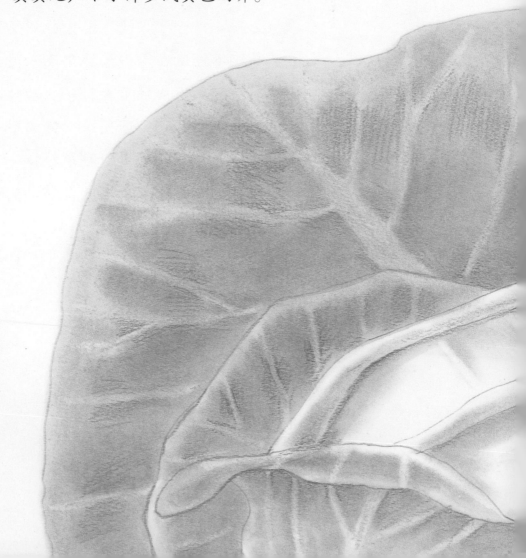

小心长大吧！
要远远躲开赤眼卵寄生蜂！

茁壮长大吧！
一定不能让小茧蜂靠近！

快点长大吧！
千万不要理会黄金小蜂！

健康长大吧！
你们都要长成美丽的菜粉蝶！

菜粉蝶一边产卵，

一边轻声但很坚定地警告自己的小宝宝们。

等到终于产完了所有的卵，

菜粉蝶已经筋疲力尽，瘫倒在旁边，

因为她足足产下了 200 多粒卵。

就在这时，

不知从什么地方飞来了一群赤眼卵寄生蜂。

赤眼卵寄生蜂的体长约 0.4 毫米，

属于比较小的昆虫。

"嘿嘿！可爱的菜粉蝶卵，

原来你们躲在这里呀！"

赤眼卵寄生蜂兴高采烈地飞了过来，

立刻在菜粉蝶的卵中产下了自己的卵。

菜粉蝶的卵毫不知情，

还正忙着准备孵化出来呢。

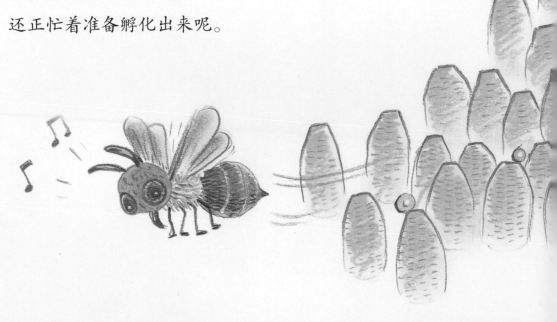

就这样，过了一个星期，
菜粉蝶的幼虫从卵里孵化出来了，
一团团的卵几乎同时开始孵化。
一只幼虫刚从卵壳露出了上半身，
接着，另外的幼虫也接二连三地露出头来。
只见幼虫们纷纷在卵壳的顶端钻开一个小洞，
慢慢地爬了出来，
而且，他们钻洞时，
出口的周围并不出现裂纹。

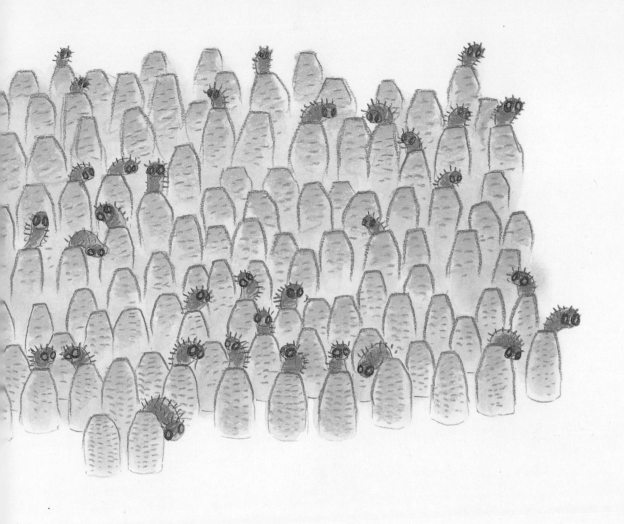

"大家好！我叫'雪白'。"
一只刚爬出来的幼虫兴奋地跟同伴打招呼，
他们都是自己努力破壳而出的。
雪白用惊奇的目光看着自己出生的卵壳，
它就像是用塑料薄膜做成的椭圆形胶囊，
散发着半透明的金黄色光泽，
简直就是件精美的艺术品。

"没想到我的卵壳竟然这么漂亮！"
卵壳从顶端到底部的表面上，
有20条左右的垂直细纹，
使得卵壳看上去就像是魔术师的帽子一样。
这时，雪白发现还有很多卵没有孵化，
"喂！你们怎么了？"
"你们在做什么？怎么还不出来呀？"
雪白和其他幼虫们一起喊了起来。
但是，那些幼虫最终也没能孵化出来，
他们就是遭到赤眼卵寄生蜂攻击的卵。
赤眼卵寄生蜂的幼虫吃掉了菜粉蝶的卵。
这时，雪白隐隐约约想起了妈妈的声音，
那是妈妈温柔的叮咛声，
那是妈妈怜爱的嘱咐声。

小心长大吧！
要远远躲开赤眼卵寄生蜂！

雪白把妈妈的嘱咐牢牢地记在心里，
暗暗下定决心：
我一定要健健康康地成长，
像妈妈一样产下漂亮的卵。
"来吧！打起精神吧！"
"对了，我得先吃掉我的卵壳。"
趴在卵壳上一动不动的幼虫们，
都开始啃起自己的卵壳来，
像咀嚼松软的饼干一样，
从顶端不停地啃下去。

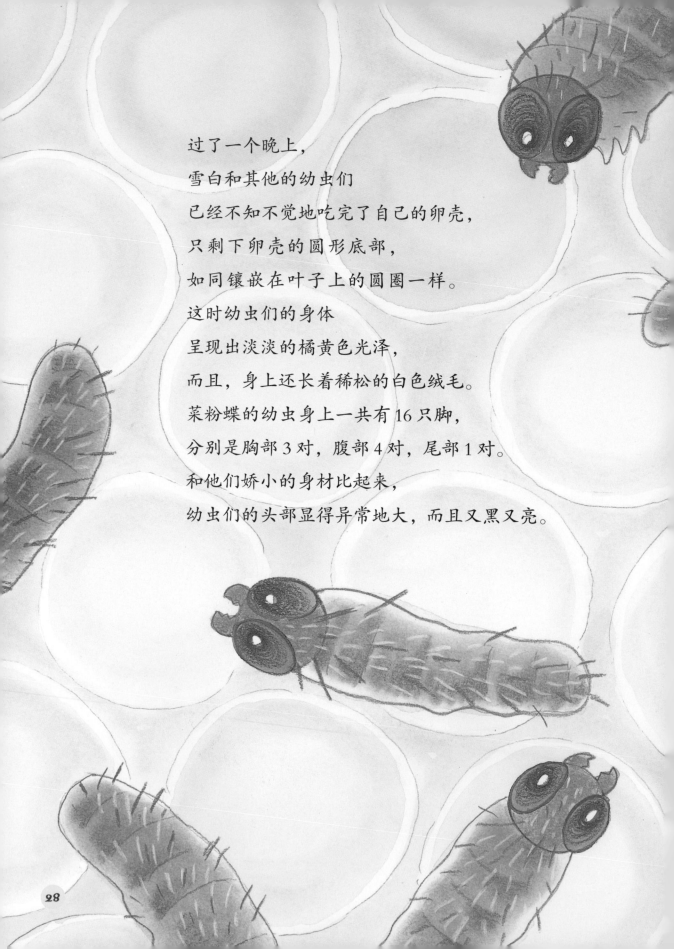

过了一个晚上，

雪白和其他的幼虫们

已经不知不觉地吃完了自己的卵壳，

只剩下卵壳的圆形底部，

如同镶嵌在叶子上的圆圈一样。

这时幼虫们的身体

呈现出淡淡的橘黄色光泽，

而且，身上还长着稀松的白色绒毛。

菜粉蝶的幼虫身上一共有 16 只脚，

分别是胸部 3 对，腹部 4 对，尾部 1 对。

和他们娇小的身材比起来，

幼虫们的头部显得异常地大，而且又黑又亮。

菜粉蝶幼虫用又尖又硬的嘴巴啃食着卷心菜叶，

"我们赶快吃吧！"

"嗯，我已经快饿死了！"

卷心菜的叶子非常光滑，就像涂了一层蜡一样，

再加上叶片倾斜得很厉害，

如果刚孵化出来的幼虫不小心从上面滑下来的话，

就会困在叶子间的缝隙里而不幸死去。

"我们先吐丝做防滑的脚垫吧！"

"好啊！这样才不会滑下去！"

菜粉蝶的幼虫吃掉自己的卵壳，

就是为了吐出像绸缎一样的丝。

"我已经做好了脚垫儿！"

"我也是！"

用吃下去的卵壳制作脚垫儿，

对菜粉蝶的幼虫来说是轻而易举的事情。

虽然雪白的身体只有2毫米左右，

但是，只要接触到卷心菜的叶子，

她就会本能地吐丝制作脚垫儿。

雪白做好了脚垫儿，

开始大口大口地吃起卷心菜的叶子。

"喀嚓喀嚓……喀嚓喀嚓……"

到处都可以看到忙着吃卷心菜叶子的幼虫们。

一天、二天、三天……日子一天天过去了，

雪白的身体也不知不觉长大了很多，

从原来的2毫米，变成了4毫米，

并且，他们的模样也有很大的变化，

淡黄色的皮肤上长出了很多黑色斑点。

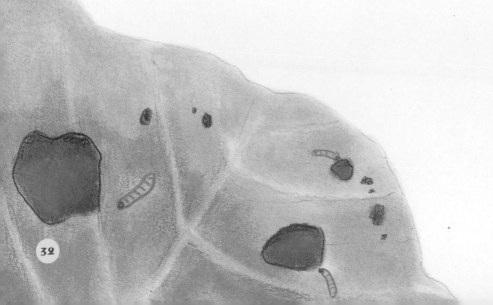

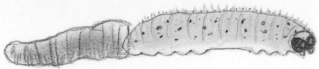

"我要开始蜕皮了！"

"我也是！如果不蜕掉外皮的话，
我的身体就无法再长大了！"

由于菜粉蝶幼虫的外皮不会随着身体长大，
所以，每隔一段时间他们就需要蜕掉外皮。

菜粉蝶的幼虫一共要蜕4次皮，
每蜕一次皮，就增加一岁。
刚刚蜕皮的雪白需要休息一两天，
因为她在等待自己柔软的皮肤变硬。
"好了，我感觉皮肤已经很结实了！"
等到雪白的皮肤变得比较硬时，
她又开始狼吞虎咽地吃起卷心菜来，
那速度比以前更加快了。

其他的幼虫们也在拼命地吃着卷心菜的叶子，

到处是"喀嚓喀嚓"的咀嚼声。

很快，卷心菜上出现了一个个的大洞。

菜粉蝶的幼虫怎么能一天到晚吃个不停呢？

难道他们的胃不用休息吗？

雪白太喜欢卷心菜又嫩又香的叶子了，

但是，爱吃卷心菜的可不是只有菜粉蝶的幼虫，

雪白听妈妈说，人类也非常喜欢吃卷心菜。

人类从古希腊和古罗马时代起，

就已经开始栽培卷心菜了，

如果我们菜粉蝶的祖先看到当时

有那么多卷心菜生长在田地里，

他们一定会高兴地叫起来。

因为爱吃卷心菜，我们成为农夫最讨厌的害虫，

他们为了驱赶菜粉蝶想尽了各种方法。

例如，在卷心菜地里打下木桩，

再在木桩上面放上白马的头骨，

他们认为，白马的头骨对驱赶菜粉蝶有效。

而且，在法布尔先生居住的普罗旺斯地区，
农民们也有类似这样的习惯。
他们用鸡蛋的蛋壳取代白马的头骨，
将鸡蛋壳扣在木桩上。
他们认为我们会在白白亮亮的蛋壳上产卵，
这样一来，我们的幼虫就会被强烈的阳光烤焦，
或是因为没有东西吃而很快死掉。
真是可笑的举动，
难道我们菜粉蝶的妈妈们都是笨蛋吗？
明明放着可口的卷心菜，
怎么会跑到蛋壳上产卵呢？

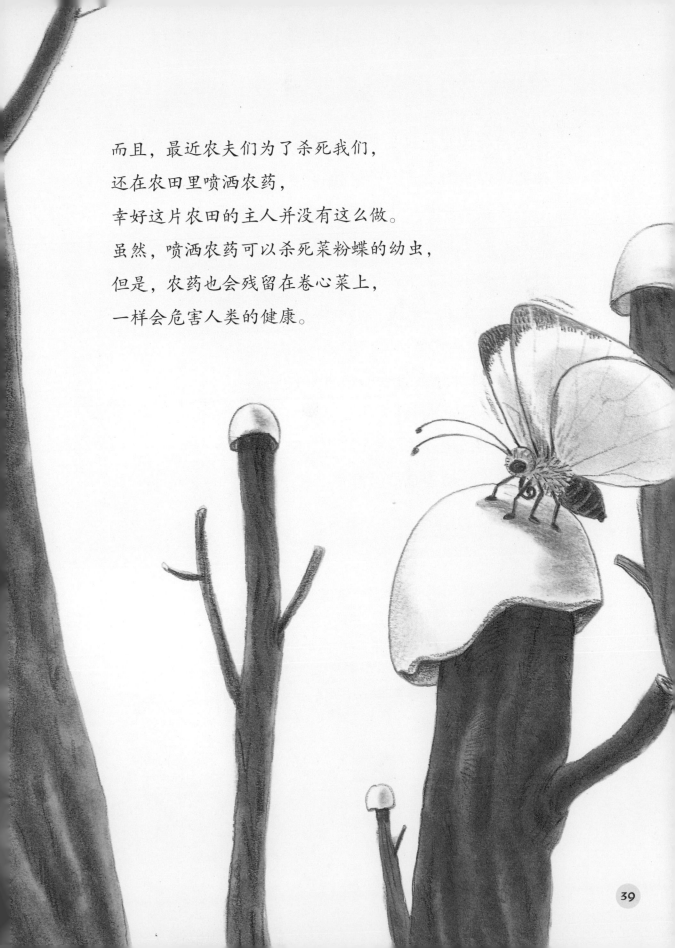

而且，最近农夫们为了杀死我们，
还在农田里喷洒农药，
幸好这片农田的主人并没有这么做。
虽然，喷洒农药可以杀死菜粉蝶的幼虫，
但是，农药也会残留在卷心菜上，
一样会危害人类的健康。

雪白用心地记住妈妈说过的每一句话，
她想着以后自己产卵的时候，
也要像妈妈一样给小宝宝们讲述很多故事。
雪白在心里期盼着自己能快快长大，
暗自决心不管发生任何事情，
都要努力变成一只美丽的蝴蝶！
"狼吞虎咽地吃吧！"
"是啊！这才像菜粉蝶的幼虫嘛！
我们会健康地成长！"
幼虫们高兴地边吃边唱，
还不停地抖动着自己的身体。

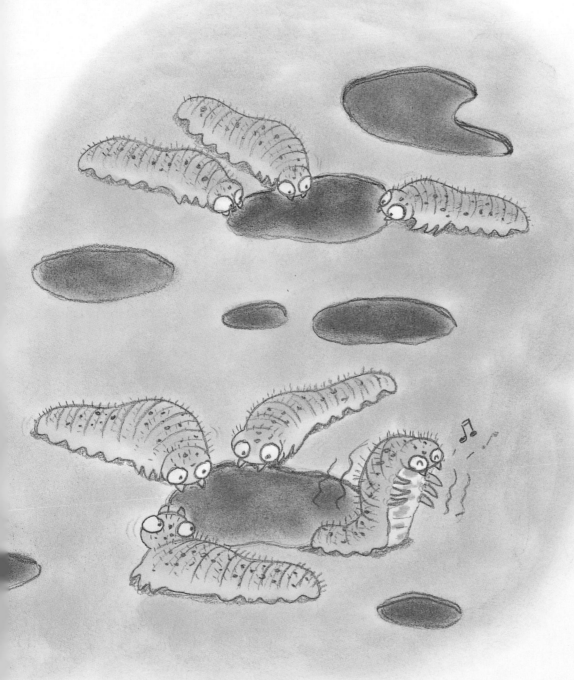

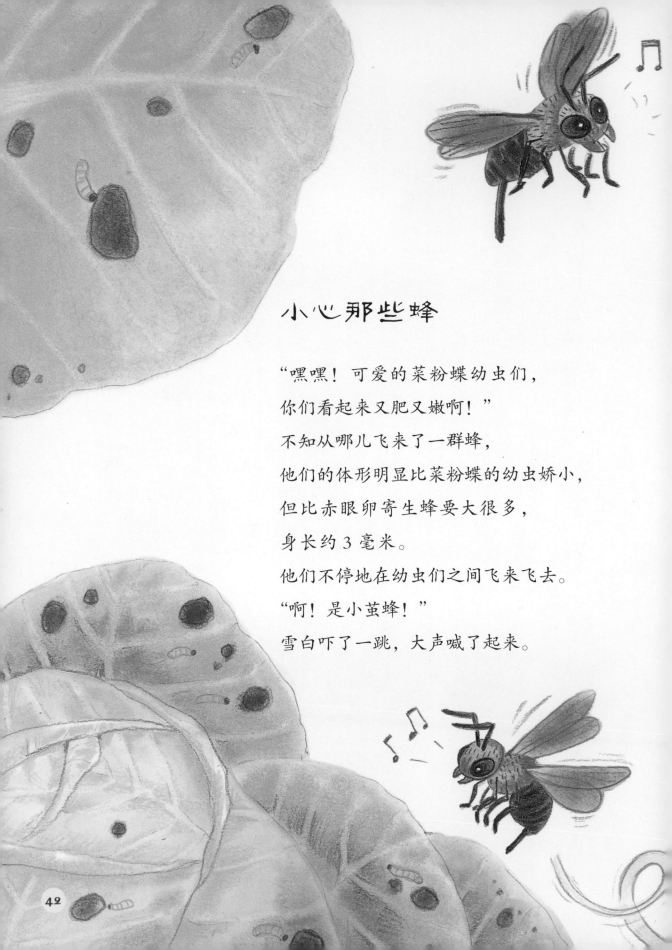

小心那些蜂

"嘿嘿！可爱的菜粉蝶幼虫们，
你们看起来又肥又嫩啊！"
不知从哪儿飞来了一群蜂，
他们的体形明显比菜粉蝶的幼虫娇小，
但比赤眼卵寄生蜂要大很多，
身长约 3 毫米。
他们不停地在幼虫们之间飞来飞去。
"啊！是小茧蜂！"
雪白吓了一跳，大声喊了起来。

茁壮长大吧！

一定要避开小茧蜂！

雪白清楚地记着妈妈的嘱咐，
但是，其他的幼虫们，
好像并不在意小茧蜂的出现，
只顾着埋头吃卷心菜。
所有的幼虫都像是受过军事训练一般，
有序而整齐地吃着叶子。

"哇！好大的幼虫啊！"

有一只小茧蜂轻轻地飞了下来，

落在了一只比雪白大很多的5岁幼虫身上。

那只幼虫猛地抬起身体的上半身，

使劲摇晃着，试图甩开小茧蜂。

"哎呀！吓死我了！

好好好！我走开就是了！"

小茧蜂赶紧离开那只大幼虫，
飞向另一只小的菜粉蝶幼虫。
"对了！为了让我的小宝宝有足够的时间成长，
还是选择小一点的幼虫吧！
那只大的很快就要变成蛹了。"
小茧蜂很快找到了一只 2 岁幼虫，
落在了她的后背上，
接着，用长长的触角轻轻地敲了敲，
同时将尾部刺进幼虫的身体里产下了卵。
但是，那只幼虫什么也没有觉察到，
仍在津津有味地吃着自己的卷心菜。
"不能让小茧蜂靠近你！
你难道忘了妈妈的忠告吗？"
任凭雪白怎样大声地劝告，
小幼虫们还是只顾着吃自己的卷心菜。
小茧蜂们到处飞舞，继续找那些小幼虫，
把卵产到他们的身体里，
但小幼虫们却浑然不觉，
仍然若无其事地吃着卷心菜。

为了躲开小茧蜂的攻击，

雪白连忙奋力向前逃跑。

"哎呀！不好！"

正当这时，有一只小茧蜂朝雪白飞了过来，

雪白立刻将上半身使劲向前伸展，

然后迅速地收缩下半身，拼命地向前爬。

"哼！算你机灵！"

小茧蜂有些不满地嘟囔着飞走了。

"反正有的是幼虫，不用费那么多周折！"

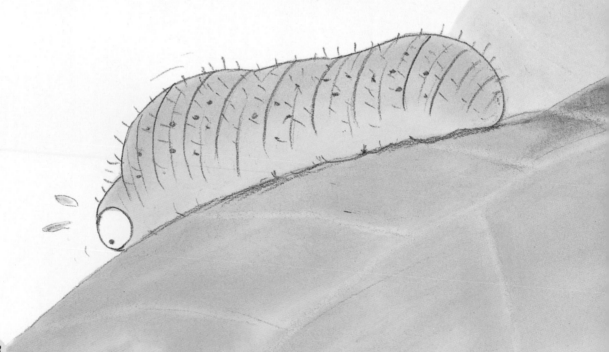

小茧蜂径直飞向雪白身边的小幼虫，

"快点躲开呀！"

没等雪白喊出来，

小茧蜂已经在小幼虫的身上刺了一针，

然后从容地飞走了。

"你还好吗？"

"什么？"

"你刚才不是被小茧蜂刺了一针吗？"

"是吗？我没什么感觉啊！你不用太担心了！"

"那……你好！我……我叫雪白。"

"嗯，我叫妞妞。"

妞妞有些不耐烦地回答道。

她好像一刻也不想停止，

继续"喀嚓喀嚓"地吃着。

妞妞并没有察觉到在自己的身体里，
已经住进了 20 多粒小茧蜂的卵。
这些小茧蜂的卵很快发育成幼虫，
开始在菜粉蝶幼虫的身体内吸食血液，
把妞妞的血液当成了美味的汤。

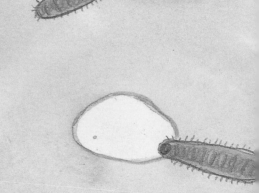

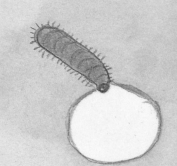

我们是小茧蜂的幼虫！

虽然我们没有锋利的牙齿，
也没有可怕的螯，
更没有大大的颚，
但是我们有吸管样的嘴巴。

可以像品尝美味的肉汤一样，
喝下菜粉蝶幼虫的绿色血液！

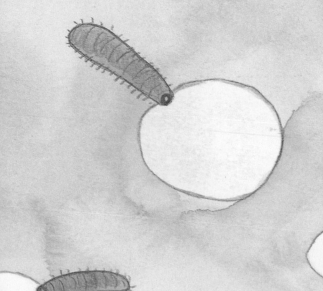

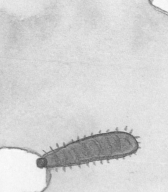

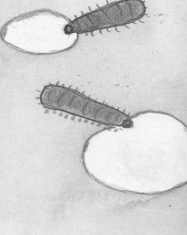

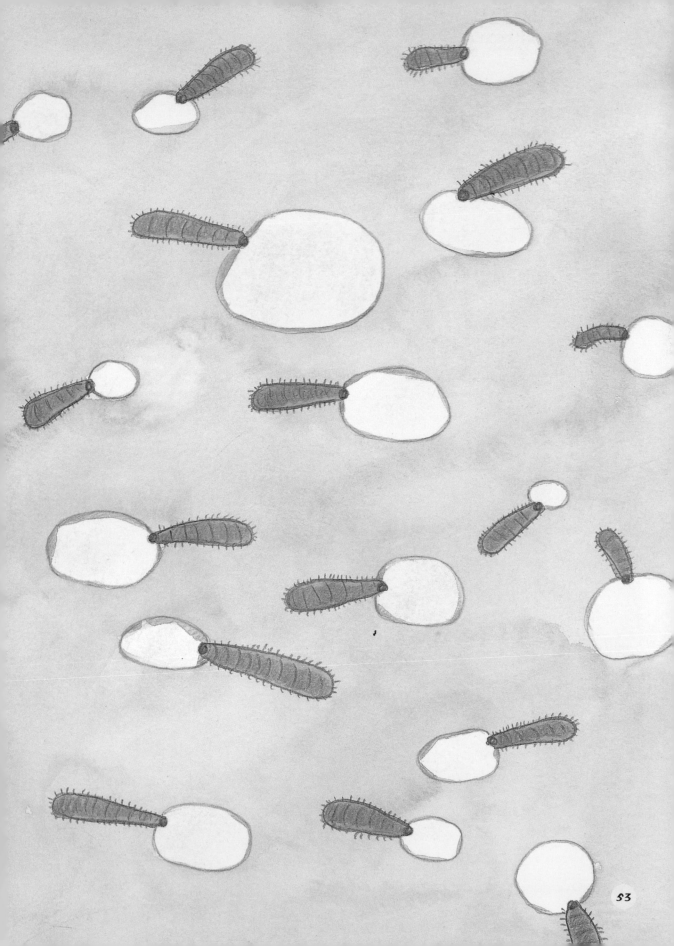

小茧蜂的幼虫并不吃

菜粉蝶幼虫身体内的脂肪颗粒和肌肉，

也不会吃掉主要器官，

他们只会利用吸管状的嘴巴，

不停地吮吸菜粉蝶幼虫的血液，

所以，菜粉蝶幼虫的内脏不会有任何伤口。

如果菜粉蝶的幼虫因为受伤而死掉的话，

小茧蜂的幼虫也会跟着死掉。

白色的小茧蜂幼虫非常柔弱，

身体的前端尖尖的，

尾部可以左右扭动，但无法向前移动。

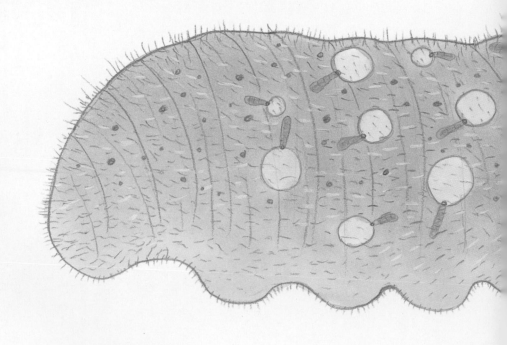

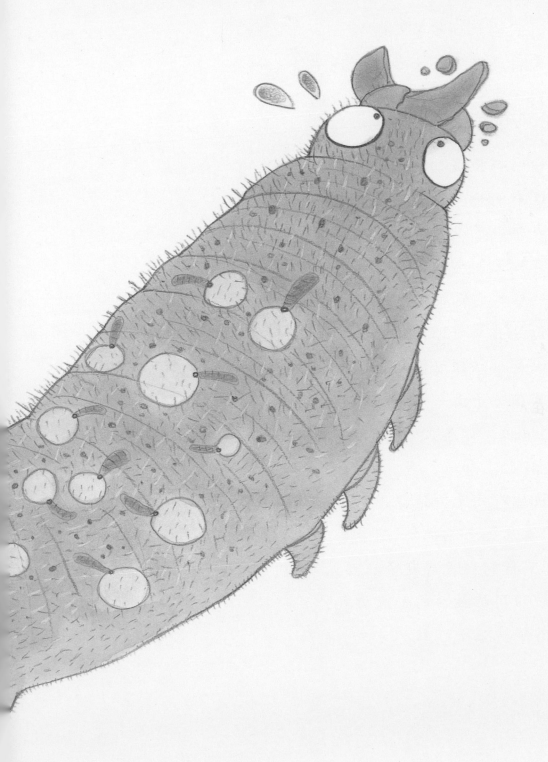

时间已经到了 5 月，
雪白还是每天大口大口地吃着卷心菜，
到处可以见到其他的幼虫们，
忙着吃卷心菜的样子。
雪白孵化成幼虫已经一个月了，
这期间她一共蜕了 4 次皮，
现在她已是 5 岁的大幼虫了。
有一天，雪白突然什么都不想吃了，
她感觉自己的身体变得很轻松，
而且身材好像比从前娇小了。
但是，妞妞好像非常不舒服的样子，
趴在叶子上一动不动。
"妞妞，你怎么啦？"
"我也不知道，我觉得很累。"
妞妞有气无力地说道。
"休息一会儿吧！"
"不行啊！我得赶紧吐丝结蛹啊！"
妞妞用尽最后的一点力气，
不停地摇头吐丝。

"妞妞，你累了吧！"

"没关系，这本来就是我该做的事情嘛！"

妞妞用吐出来的丝开始制作脚垫儿，

这是结蛹之前的最后一块脚垫儿。

雪白不忍心再看妞妞痛苦的样子，

默默地抬起头仰望着天空。

已经是夕阳西下的傍晚了。

"大家齐心合力用力吸啊！"

"我们一定得吸个洞出来！"

妞妞身体内的小茧蜂幼虫们开始忙碌起来，

他们没有锋利的牙齿，

无法咬开菜粉蝶幼虫的皮肤，

所以，只能用吸管状的嘴巴，

轮流吮吸皮肤来挖洞。

妞妞腹部下方渐渐出现了一个缺口，
也有的菜粉蝶幼虫身体的侧面出现了洞，
这样的幼虫会比较痛苦。
小茧蜂的幼虫绝对不会在菜粉蝶幼虫的背部挖洞，
他们只会在两个体节的相连处挖洞，
因为这里的皮肤又薄又软，
最容易用嘴巴吸出一个缺口。

只见小茧蜂的幼虫，
一个个从妞妞肚子上的缺口爬了出来，
笑嘻嘻地向雪白打招呼：
"雪白，你好吗？"
此时的妞妞已经奄奄一息了。
等小茧蜂的幼虫全部爬出来以后，
妞妞的伤口很快愈合了，
而且连一滴血都没有流出来，
妞妞的血已被小茧蜂的幼虫们吸干了。

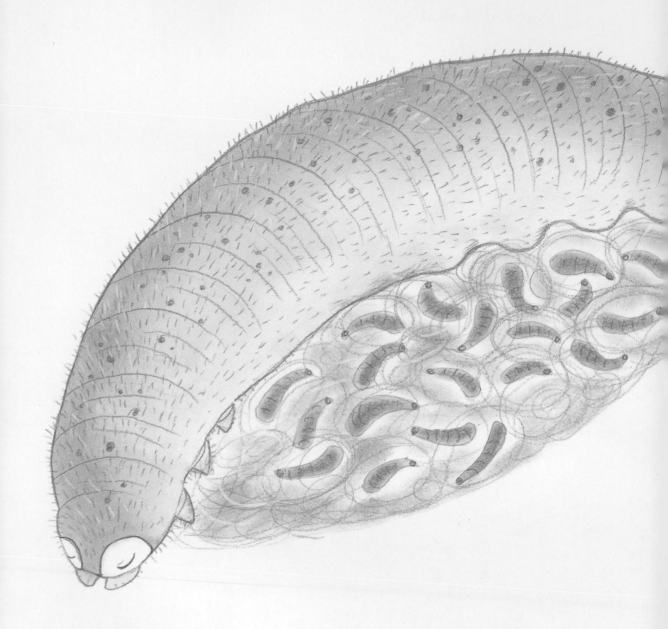

吐出来吧，吐出来吧！
快吐出黄色丝线来！

现在，小茧蜂的幼虫们开始结蛹，
他们将头用力向后仰，
从嘴里吐出黄色的丝线来，
先粘在妞妞刚才吐出来的白色丝线上。

粘上去吧，粘上去吧！
结成一个球状的茧！

接着，又把丝线粘在同伴们织的丝线上，
互相交错成一块黄色的丝球儿，
丝球里分别有各自的房间。
但是，这个丝球并不是真正的茧，
它只是为了制作茧而编织的框架。

"现在开始各自制作自己的小房间吧！"
小茧蜂的幼虫们，开始在黄丝球里制作自己的茧，
是一个一个既光滑又美丽的丝茧。
雪白在一旁看着小茧蜂幼虫的茧，
不禁感到一阵毛骨悚然。
因为她知道再过 2 个星期，
小茧蜂的成虫就会从这些茧里孵化出来。

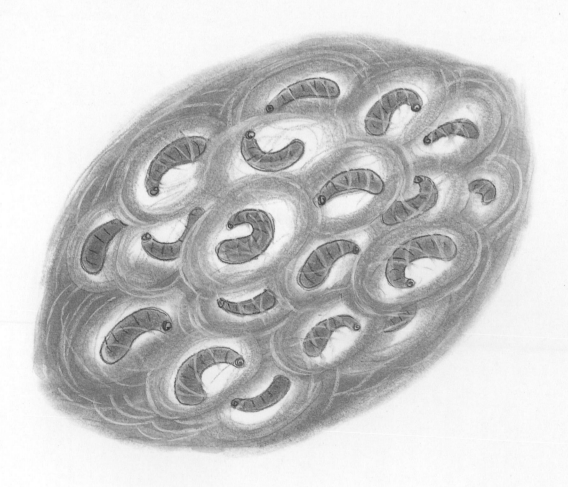

孵化出来的小茧蜂，

又会寻找其他的菜粉蝶幼虫产卵。

"不行，就算为了妞妞，

我也一定要顺利长成一只美丽的菜粉蝶！"

雪白望着蓝天，暗暗下定决心。

想到自己即将变成漂亮的蝴蝶，

不知为什么雪白的心禁不住"扑通扑通"跳了起来。

每次蜕皮的时候，

雪白都会有同样的感觉。

"为什么会有这么奇怪的感觉呢？"

这次的感觉和以前有些不同，

雪白突然想离开这个地方。

她扭动着自己的身体，

看了看其他那些 5 岁的同伴们，

他们也都有些忐忑不安、飘飘然的感觉。

"对了！我现在应该快要变成蛹了吧！"

雪白意识到自己的身体马上就要结蛹了。

于是，她在卷心菜上面来回寻找

可以让她安全结蛹的地方，

终于在叶子根部的连接处躲了起来。

雪白牢牢地贴在叶子上面开始吐丝，

并织起白色绸缎般的薄薄丝垫儿。

"先把身体固定好吧！"

雪白将自己的尾部紧紧地固定在卷心菜的叶子上，

然后，再用比较结实的丝线反复缠绕身体，

好像系了一条条安全带一样。

就这样雪白固定了自己的身体。

"哇！我终于变成蛹了！"

雪白固定完身体以后，

一动不动地呆了一天。

到了第二天，雪白的背部皮肤渐渐裂开，

蜕去了旧的外皮。

现在菜粉蝶的幼虫不需要再次结茧来保护身体，

即使面对风吹日晒，也不会有什么问题。

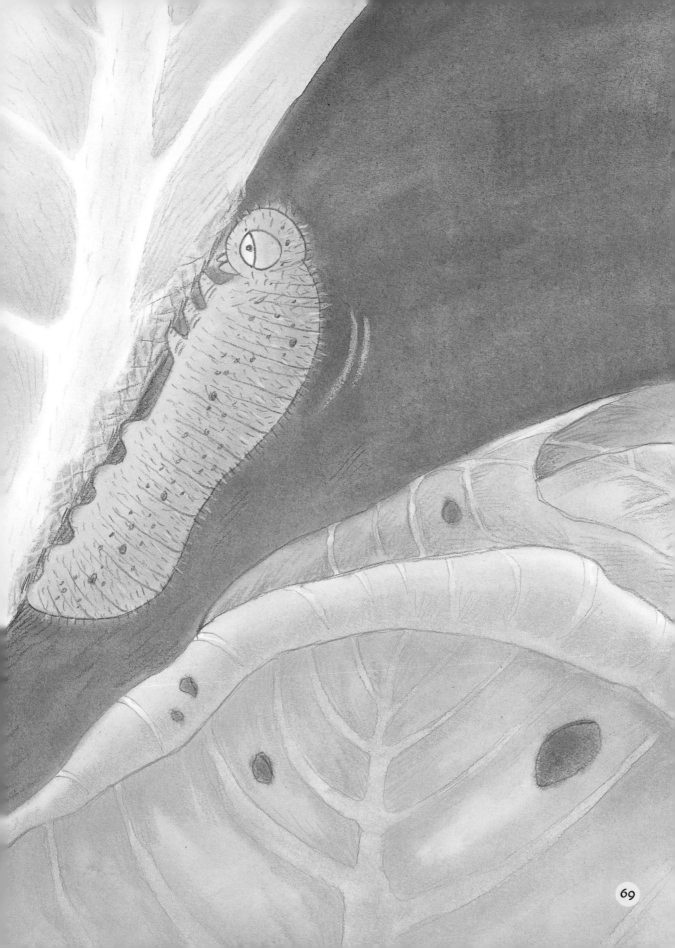

我们是

蜕掉幼虫外衣的菜粉蝶的蛹，

在棕色的树干上就会变成棕色蛹，

不仔细看的话，谁也找不到我们！

我们是

要变成美丽的菜粉蝶的蛹，

在绿色的叶子上就会变成绿色蛹，

不仔细看的话，谁也找不到我们！

雪白变成了酷似卷心菜叶子的绿色蛹，
同伴们也各自找好了隐蔽的地方，
相继变成了各种颜色的蛹。
秋天结蛹的菜粉蝶幼虫，
就以蛹的状态度过寒冷的冬天。
菜粉蝶幼虫秋天一般会在树干、
稻草或是枯草上结蛹，
所以，秋天的蛹一般像枯草或枫叶的颜色。

我是个聪明的猎手，
知道蜕掉幼虫外衣的菜粉蝶的蛹
在棕色的树干上就会变成棕色，
只要仔细看一看就一定能找到！

我是个能干的猎手，
知道要变成美丽的菜粉蝶的蛹
在绿色的叶子上就会变成绿色，
什么也难不倒我们黄金小蜂！

一群黄金小蜂一边唱着歌，一边飞了过来。

黄金小蜂喜欢在新的蛹上面产卵。

"嘿嘿！肥肥嫩嫩的蛹，你们在哪里呀？"

每当黄金小蜂靠近的时候，

菜粉蝶的蛹就会缩起身体，

因为他们已经无法逃离，

所以，只能希望自己不被黄金小蜂发现。

"啊？对不起！"

突然有只菜粉蝶的幼虫不小心碰了雪白一下，

雪白为了警告对方，

使劲摇晃着身体。

"我还以为是可怕的黄金小蜂呢！"

雪白松了一口气。

正在这时，已经有好几个同伴，

被黄金小蜂发现而遭到了攻击。

快点长大吧！
千万不要理会黄金小蜂！

雪白想起了妈妈曾经嘱咐过的话，
赶紧屏住了呼吸。

美丽的菜粉蝶

雪白的身体慢慢地产生变化，
与幼虫时期完全不同，
不但皮肤变硬了，就连身上的毛也不见了，
嘴巴和尾部变得尖尖的，
而身体中间明显鼓了起来，
雪白已经渐渐露出了蝴蝶的模样。
"妈妈，我也能像你一样变成一只美丽的蝴蝶吗？"
变成蛹的雪白既不吃也不动，
但你千万不要认为她已经死了。
"我马上就会长成蝴蝶的！"
雪白在蛹里耐心地等待着羽化。

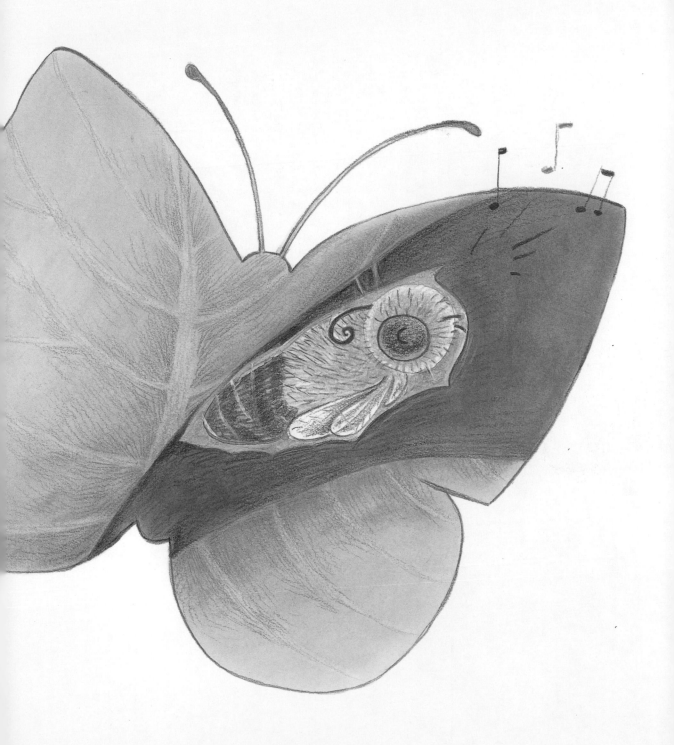

虽然雪白的身体在蛹里一天天长大，
但是，蛹的大小却没有什么变化。
又过了一个星期，
"哇！我的翅膀长出黑色斑点了！"
雪白兴奋得不得了，
因为翅膀上长出黑色的斑点，
就是即将破蛹而出的象征。
蛹里的雪白继续长大，
不知不觉中，又过了一个星期，
现在雪白的翅膀上已经有3个非常明显的黑斑了，
这显然就是蝴蝶的翅膀。

有一天凌晨，

雪白终于开始羽化了！

蛹从头部开始慢慢蜕皮，

雪白从里面缓慢地爬了出来。

雪白的翅膀有些皱巴巴地折叠着。

她本能地开始将体液传送到翅膀上，

只见白色的翅膀渐渐展开。

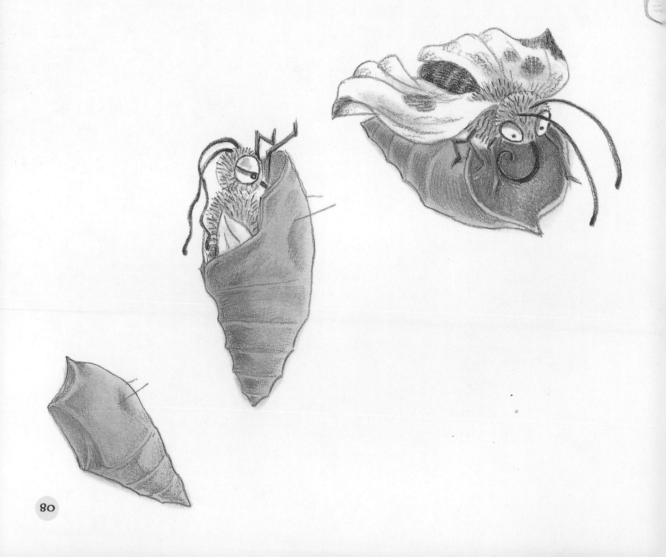

"啊！我终于变成蝴蝶了！"
雪白高兴得想立刻飞起来，
但是现在还不行，
因为她的身体和翅膀还没有完全变干。
微风拂过雪白的身体和翅膀，阳光温暖地照着。

雪白静静地呆在叶子上一动也不动，

终于，身体和翅膀变干了。

"试着扇动一下翅膀吧！"

在第一次飞行前，

雪白先反复挥动自己的翅膀，

这样可以排出残留的体液和水分。

最终，雪白完全舒展开了翅膀。

她的前翅顶端有一条歪斜的黑色斑纹，

下面则有几个黑色斑点，

就像绣上去一样非常美丽。

雪白展开翅膀后体长达到 65 毫米，

而且头上长着触角、复眼和嘴巴，

身上也长出了前腿、中间腿和后腿共 3 对腿。

"飞飞看吧！高高地飞起来吧！"

雪白缓缓地挥动着翅膀飞了上去，

下方是一片绿色的卷心菜地。

"啊！好饿呀！

但是我要吃的花在什么地方呢？"

雪白东张西望地寻找着食物，

她发现卷心菜地的尽头有个小丘陵。

"嗯，那里应该有花吧！"

雪白赶紧飞向了小丘陵，

丘陵上长满了一片片杏树。

"你是谁呀？"

突然有一只花枝招展的家伙挡住了雪白的去路，

他的翅膀是美丽的橘黄色。

"我？我叫雪白。"

"啊，你是菜粉蝶吧？

你好啊！我是小孔雀蛾。"

"蛾？蛾不是只有晚上才出来吗？"

"怎么？难道你不相信吗？"
看着雪白有些半信半疑，
小孔雀蛾一脸不悦地说：
"你先听听我的解释，
然后再想想看我到底是不是蛾吧！"
小孔雀蛾不等雪白回答，
便滔滔不绝地讲起自己的故事来。

"蝴蝶通常会在白天活动，

而我们蛾类大部分是到了晚上才开始活动。

但是，也有像我这样白天活动的蛾。

鹿子蛾、斑蛾和生活在东南亚的一些非常漂亮的蛾，

还有，非洲东南部的马达加斯加岛上的丝绸大凤蛾，

也都是白天出来活动，

所以，你就不要再觉得奇怪了！"

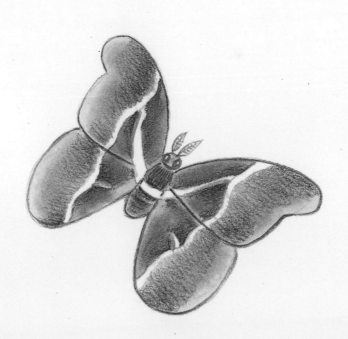

"看，
你的触角长得很像棍子，
而我的触角却长得很像梳子。
这就是蝴蝶和蛾触角的区别！
还有，
蝴蝶的身材细长，
而蛾的身材比较肥胖，
蛾的前后翅膀之间有连接器相连。"

"当然，蝴蝶就没有这种连接器，

但是，就算触角、身材和连接器也没有绝对的，

就像有些蛾白天出来活动一样。

人们为了区分蝴蝶和蛾，经常绞尽脑汁，

其实这里并不存在绝对的规律！"

小孔雀蛾拍打着翅膀自信地说道。

"是吗？听起来人类似乎对我们很感兴趣呢！"

雪白好奇地眨着眼睛，

仔细地聆听着小孔雀蛾讲的故事。

"这是当然了，人类还帮我们取了各种各样的名字呢！"

英文将蝴蝶称为'butterfly',
但是却把蛾叫做'moth';
不过，在我们居住的法国，
却把蝴蝶和蛾统称为'papillon'呢！
因为法语的'papillon',
是从拉丁语的'papilio'流传过来的;
而在意大利却叫做'farfalla'.
此外，人类从古希腊甚至更远古时代开始，
就认为我们是人类的灵魂.
每当夜晚，被篝火或者蜡烛的火光吸引，
我们蛾常会扑进火里被烧死，
这对人类来说是非常令他们困惑的事情."

"人类认为我们是为了复活，

才会以这种方式自杀。

从此，蝴蝶和蛾成了人类'死亡和复活'的象征，

也有'不灭的灵魂'的含意。

我们就这样联系在一起，

所以，在希腊，蝴蝶和蛾被称为'psyche'（灵魂）。

小孔雀蛾得意洋洋地结束了自己的故事，

"好了，咱们下次再见面吧！

我现在正要去找母孔雀蛾呢！"

小孔雀蛾挥舞着翅膀渐渐远去了。

"母的？"

雪白一时沉浸在思绪中，

但她马上觉得肚子饿了。

在不久之前，雪白是吃着卷心菜的叶子长大的，

但是，现在她需要吃鲜花的花蜜。

美丽的蝴蝶，
你要飞下来停在卷心菜上吗？

不是！不是！
我要停在白色、黄色的花瓣上！

雪白一边展开翅膀飞行，

一边东张西望地四处寻找。

忽然间，一股又香又甜的花香吸引了雪白，

是油菜花的味道。

菜粉蝶特别喜欢花瓣较大的白花或者黄花，

像油菜花、白菜花和萝卜花等。

雪白轻轻地落在花瓣上，

然后，将卷起的吸管状的嘴巴伸直，

插进了花朵里，用力吸着花蜜。

"啊，好甜啊！"

雪白觉得很幸福。

正在这时，有一只躲在草丛里的螳螂，
偷偷摸摸地朝雪白爬了过来
螳螂不停地转动着那对透明的草绿色复眼，
一步一步靠到雪白的身边。

"赶快躲开！"
不知从哪里飞来了一只菜粉蝶，
大声地向雪白喊道，
雪白吓了一跳，赶紧飞了起来，
幸好，螳螂的前腿只轻轻擦过了雪白的后翅膀。
"哎，气死我了！"
螳螂咽着口水狠狠地瞪了一下那只菜粉蝶，
很快消失在草丛里。

"笨蛋，你怎么能那么放松警惕呢？

难道你不知道，

躲在草丛里的敌人随时都会攻击我们吗？"

那只菜粉蝶气喘吁吁地责备雪白，

雪白觉得非常难为情，再加上受了惊吓，

不知所措地低着头一言不发。

雪白发现地上还有破碎的翅膀，

似乎已经有其他蝴蝶遭遇过螳螂的攻击。

"千万不要忘记！我们有很多敌人，

鸟类和蜘蛛也要特别当心！"

"我知道了！"

"还有，这片草丛里到处都有食虫虻和细腰蜂，

他们正虎视眈眈地要攻击我们！"

"知道了！"雪白小声地回答。

"你要记住，

我们菜粉蝶没有可以用来攻击对方的武器，

只能自己提高警惕。"

那只菜粉蝶低声叮嘱完雪白后，
连声招呼都没打，飞快地朝湿地方向飞走了。
雪白呆呆地望着那只菜粉蝶消失的背影，
他的翅膀比雪白亮丽而且呈乳白色，
翅膀上的黑色斑点比雪白淡，
雪白自言自语地说："是只雄蝴蝶！"

"我得好好练习一下躲避鸟儿的方法！"

到了第二天，

雪白将身体倒立，练习空中盘旋。

"产卵之前，我绝对不能死！"

雪白又练习向后飞行的技术。

蝴蝶的翅膀占体重的比例很大，

所以，很容易受到气流的影响。

雪白一边随风四处飞舞，

一边随心所欲地改变飞行方向，

她觉得这种练习很轻松，

雪白心想，只要自己勤学苦练，

就不会轻易被鸟类吃掉。

虽然已经是早晨，但田间仍是黑漆漆的，

天空布满乌云，好像快要下雨的样子。

"我又怎么了？"
雪白觉得自己与平常有些不同，
一种奇妙的感觉使她莫名地心跳，
就连吸着花蜜，也不觉得香甜。
就在这时，不知从哪里飞来了一只雄菜粉蝶，
围着雪白不停地飞来飞去，
这是菜粉蝶求爱的方式。
"不要！"
雪白不想和他交配，
于是马上展开翅膀，
再将尾巴高高地挺了起来。
雄菜粉蝶再次在雪白的周围环绕了几圈，
但是，雪白仍旧拒绝了他，
那只雄菜粉蝶失望地飞走了。

"……"

雪白不停地东张西望，

那样子仿佛是在焦急地期盼着什么，

胸口一阵阵发闷的感觉。

"你好啊？我们又见面了！"

突然，又有一只菜粉蝶不知从哪里冒了出来，

巧合的是，眼前的这只菜粉蝶，

就是曾经从螳螂手中救了雪白一命的那只雄菜粉蝶。

没想到，那只雄菜粉蝶竟然也在雪白身边环绕着，

表达对雪白的爱慕之意。

"……"

这次，雪白并没有展开翅膀拒绝，

只是温柔地和那只雄菜粉蝶靠在一起。

交配后的第二天，
雪白飞向了久违的卷心菜地，
那里是自己从卵到幼虫、
从幼虫到蛹成长的故乡。
现在，雪白也像妈妈一样，
为了产卵而回到了这片卷心菜地，
那里仍是一望无际的绿色卷心菜。

又嫩又好吃的卷心菜，
我的小宝宝们最喜欢。

又大又香甜的卷心菜，
让我的小宝宝们快快长大。

又绿又有营养的卷心菜，
让我的小宝宝们健康成长。

即将为人母的雪白，
向着卷心菜地飞了过去。

穿越时空系列 （12本 全彩）

穿越时间长河的神秘之旅

《穿越时空》系列图书是英国ORPHEUS图书有限公司出版的英文系列图书的中文版。每一本书都讲述一个主题，如城堡、火山、恐龙、交通、金字塔等等。翻开每本书都像经历一次旅行，但这绝非普通的旅行，而是一次穿越时间长河的旅行。每翻过一页，时间就向前跳跃几天、几年、几个世纪，甚至数万年。每个时刻——也就是旅行中的每一站，都是相关主题的一个篇章。

★ **科学性** 每本书都以时间为主线，通过细致入微的手绘和通俗严谨的语言讲述各个主题的历史变迁。每一页都有标示时间的"拇指索引"，显示宏大场景的图中还有很多名词术语的标注。书后还附有名词解释和索引，方便小读者们检索和查询。

★ **趣味性** 《穿越时空》系列书不像通常意义的历史书或科普书那样单调乏味，设计者运用了很多细节来增强趣味性。主题单纯，容易让你专心探究；以时间为序，让你有穿越时空的探秘兴趣。每本书每幅画面上都有一个角色作线索，且角色与画面场景融合，这样一种藏宝图般的设计，能激发你的好奇心，带领你更进一步地深入探索。

★ **图画细致精美** 本系列的每一本书的画面都气势恢弘，场面宏大，很具观赏性，同时又相当细致，画面中即使有几十个人物，也能做到个个栩栩如生，都有不同的动作和表情。很多建筑都进行局部切开，方便看到内部结构。这样的剖面图设计，可以培养你的审美能力和立体感。

★ **语言娓娓动听** 本系列均由英美文学专业硕士翻译，北师大英美文学博士导师审定，语言流畅，娓娓动听，与图画相得益彰，让你有穿越时空、身临其境之感。其中很多名词术语都经过译者和编辑仔细核实和反复推敲，保证了在科学性的基础上达到很高的文学性。

Youpi 小百科系列（10本 全彩）

"Youpi"是法语中小孩表示兴奋的惊叹词，相当于"哇，真棒！"Youpi 小百科系列是法国最受欢迎的儿童百科读物。书中包含了丰富的动物、植物、自然、科技等内容，带领小读者观察世界，学习各种好玩而又实用的知识。每一本书都包含六个主题，通过拉页的方式，让小读者们惊喜地发现其中隐藏的有趣知识，也可以满足小朋友动手体验的渴望，激发探索事物的好奇心。

丰富有趣的内容，是探索科学的最佳读物

你知道长颈鹿的舌头是黑色的吗？抹香鲸能潜入海洋最深处，是最棒的潜水冠军呢！你注意到水有时能在空中跳跃吗？中世纪的骑士如何比武？未来的汽车是什么样子？Youpi系列用最简单、最有趣的方式，带领小读者了解世界的秘密。

独特的编排设计，激发探索的欲望

在每一本书中，醒目的主题图片都呈现在两个单页上，双手拉开这两个单页，就会惊喜的发现里面相连的四页中藏着丰富有趣的知识。

生动精采的图文，好玩有益的实验，让你手脑并用

每一个主题都搭配大量的图画，用写实的画法或者精致的照片，将每一个主题最重要的特点完整地表现出来。文字简洁幽默，让小读者轻松吸收相关信息。在每个主题的最后一页，以幽默可爱的漫画进行更详细的补充，用生活中的常见物品来讨论与主题相关的常识，非常容易理解；同时，也安排了简易有趣的小实验，让你可以动手操作，比如：怎样给鸟儿制作鸟巢，怎样让下沉的物体上浮等等。

好玩
实用

激发
探索

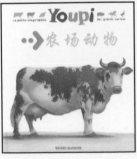

请在这儿写下你与昆虫之间的故事吧：